PALABRAS A SU PASO

EL ESTUDIO DE PALABRAS EN ACCIÓN • DERIVACIONES

A developmental model of Spanish literacy
from the authors of the WORDS THEIR WAY® series

Glenview, Illinois

Boston, Massachusetts

Chandler, Arizona

Upper Saddle River, New Jersey

ALWAYS LEARNING

PEARSON

Pearson Learning Solutions, 501 Boylston Street, Suite 900,
Boston, MA 02116
A Pearson Education Company
www.pearsoned.com

Printed in the United States of America
1 2 3 4 5 6 7 8 9 10 V011 17 16 15 14 13

000200010271653576

RR/CO

ISBN 10: 1-256-83843-8
ISBN 13: 978-1-256-83843-2

Contenidos

presentimiento	posguerra
preocupado	previsto
pospuesto	posoperatorio
posdata	posfecha
pretemporada	posventa
posposición	prefijo
prejuicio	posnatal
posmoderno	posfijo
predeterminado	prefabricado

pre-	pos-
preescolar	**posponer**

1. Escribe la definición de cada prefijo.
2. Escribe dos ejemplos de palabras que contengan ese prefijo y sus significados.
3. Haz un dibujo para ilustrar cada palabra.

pre-: _____

Palabra: _____

Definición: _____

pos-: _____

Palabra: _____

Definición: _____

Palabra: _____

Definición: _____

Palabra: _____

Definición: _____

seguridad	simpatía	velocidad
humedad	cercanía	humanidad
artesanía	salvajería	dignidad
curiosidad	felicidad	hipocresía
actividad	armonía	maldad
apatía	gravedad	cobardía
agonía		poesía

-dad	-ía
prosperidad	**fantasía**

1. Escribe la definición de cada sufijo.
2. Escribe dos ejemplos de palabras que contengan ese sufijo y sus significados.
3. Haz un dibujo para ilustrar la palabra.

-dad: _____

Ejemplo: _____

Definición: _____

-dad: _____

Ejemplo: _____

Definición: _____

-ía: _____

Ejemplo: _____

Definición: _____

-ía: _____

Ejemplo: _____

Definición: _____

comprensión	producción	decidir
expresión	redactar	convertir
elegir	corrección	redacción
elección	producir	colección
proteger	conclusión	corregir
confesar	protección	colectar
concluir	conversión	comprender
decisión	expresar	confesión

Sufijo -sión/-ción

+ -sión

verbos					

+ -ción

verbos					

Grupo 3: Sufijo -sión/-ción (11)

1. Los estudiantes votarán para _____ al nuevo presidente de la escuela. (elegir/elección)

2. La _____ de su cara reflejaba una gran alegría. (expresar/expresión)

3. La mamá osa siempre trata de _____ a sus cachorros. (proteger/protección)

4. Tito tuvo que _____ quién se comió el pastel. (confesar/confesión)

5. La granja de Pepe tuvo este año una gran _____ de tomates. (producir/producción)

6. Ana y Luis tuvieron que _____ quién iría a la competencia. (decidir/decisión)

7. Cuando escribo, siempre me preocupo por tener una buena _____. (redactar/redacción)

8. ¿Quieres _____ tu cuento antes de publicarlo? (corregir/corrección)

9. Lila tiene una fabulosa _____ de estampillas de correo. (colectar/colección)

10. ¿Puedes _____ el líquido en hielo? (convertir/conversión)

11. A partir de un hecho, saco mi propia _____. (concluir/conclusión)

12. Para _____ la lección, primero debes leerla con cuidado. (comprender/comprensión)

Sufijos -ista, -ero/a, -or/a, -ico/a

periodista	florista	granjero/a	leñador/a
académico/a	medicina	jardín	piano
pan	pianista	escritura	jardinero/a
cocinero/a	arte	artista	granja
leña	escritor/a	ciencia	electricista
electricidad	cocina	panadero/a	construcción
constructor/a	carnicero/a	periódico	carne
flor	academia	médico/a	científico/a

Sufijos -ista, -ero/a, -or/a, -ico/a

+ -ero/a	sustantivo base

+ -ico/a	sustantivo base

+ -ista	sustantivo base

+ -or/a	sustantivo base

1. Lee cada oración. Completa cada oración cambiando el sustantivo entre paréntesis a una persona que trabaja en esta área usando los sufijos -ista, -ero/a, -or/a o -ico/a. Escribe la nueva palabra en la línea. Después de añadir la terminación, piensa en el oficio o profesión al que se dedica la persona.

1. Cuando se fue la luz, tuvimos que llamar a un _____. (electricidad)

2. El _____ cortó los troncos de varios árboles caídos. (leña)

3. Durante el concierto, la _____ tocó maravillosamente. (piano)

4. Gracias al _____, tenemos flores hermosas. (jardín)

5. ¿Vendrá esa gran _____ a firmar libros en la feria? (escritura)

6. Conozco a un _____ que cultiva calabazas gigantes. (granja)

7. ¡Qué buen _____ el que hizo este edificio de apartamentos! (construcción)

8. El _____ tenía jamón ibérico en su carnicería. (carne)

9. Mi amiga sueña con ser una gran _____. (ciencias)

10. ¿Crees que esa _____ pintó su ciudad natal? (arte)

11. La amable _____ me ofreció panes recién horneados. (pan)

12. La _____ le hizo una entrevista a mi hermana. (periódico)

13. Cuando el _____ me vio, dijo que yo estaba enfermo. (medicina)

14. Ese _____ siempre tiene las rosas más frescas. (flor)

15. La _____ preparó una investigación para estudiar los cambios climatológicos. (academia)

16. Me encantó el pollo que preparó el _____. (cocina)

Grupo 4: Sufijos -ista, -ero/a, -or/a, -ico/a

Sufijos -dor/a, -ación

observar	explorar	informar	admirar
conquistador	investigar	admirador/a	explicar
operación	conquistar	cantar	investigador/a
comparación	trabajador/a	educación	trabajar
explorador	operar	información	comparar
explicación	observador/a	cantador/a	educar

Sufijos -dor/a, -ación

verbo -ar	+ -ación
respirar	respiración

verbo	+ -dor/a
educar	educador/a

Grupo 5: Sufijos -dor/a, -ación ⑲

1. Lee cada oración. Elige cuál de las palabras entre paréntesis completa mejor la oración y escríbela en la línea. Si se trata de un sustantivo, escribe s encima de la palabra; si se trata de un verbo, escribe v encima de la palabra; si se trata de un adjetivo, escribe a encima de la palabra.

1. Los estudiantes no pueden _____ lo que pasó en la clase. (explicar/explicación)

2. Había mucha _____ en el aire. (húmedo/humedad)

3. Pedro hace mucho esfuerzo en sus estudios porque es un chico muy _____. (trabajo/trabajador)

4. Esos precios tan bajos no tienen _____ con el precio original. (comparar/comparación)

5. Me di cuenta que a Ana le gusta _____ más que participar. (observar/observadora)

6. Para lograr lo que queremos, debemos tener una buena _____. (educar/educación)

7. ¿Me puedes _____ de lo que dijo hoy la maestra? (informar/información)

8. Cristóbal Colón fue el _____ que descrubrió a América. (explorar/explorador)

9. La _____ de la garganta fue todo un éxito. (operar/operación)

10. Hernán Cortés viajó a América para _____ el nuevo mundo por España. (conquistar/conquistador)

Grupo 5: Sufijos -dor/a, -ación

bicolor	monólogo	bienio
monosílabo	trípode	tricolor
bisílaba	trimestral	monopolio
trilogía	monocultivo	binario
monótono	trigonometría	bifocal
bisemanal	tridente	monotonía
tríceps	bimensual	triciclo

mono-	bi-	tri-
monolingüe	**bilingüe**	**triángulo**

1. Elige dos prefijos (mono-, bi- o tri-), y escribe uno en el centro de cada red. Escribe el significado debajo de cada prefijo.
2. Completa los óvalos alrededor con palabras que comiencen con ese prefijo.
3. Escribe el significado debajo de cada palabra.

internet	subtotal	sobrevolar	internacional
sobrecubierta	intercambio	interactuar	subdirector
subterráneo	sobrealimentar	intersectar	interconectar
subdivisión	submarino	subsuelo	interferir
sobremesa	suboficial	subtítulo	sobrecama
intermediario	sobresalir	suburbano	interceptar
	sobrecarga	sobrenatural	sobretodo

inter- **intercultural**	sub- **subrayar**	sobre- **sobreestimar**

1. Elige dos prefijos (inter-, sub- o sobre-), y escribe uno en el centro de cada red. Escribe el significado debajo de cada prefijo.
2. Completa los óvalos alrededor con palabras que comiencen con ese prefijo.
3. Escribe el significado debajo de cada palabra.

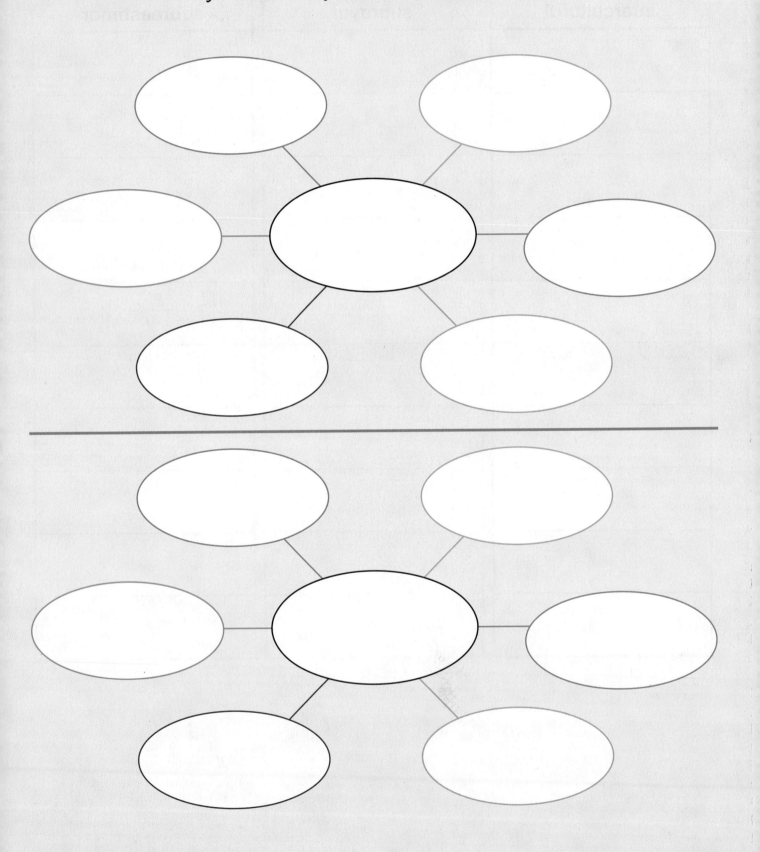

Grupo 7: Prefijos inter-, sub-, sobre-

cuadrante	pentagrama	quíntuples	tetarquía	tetralogía
decámetro	quintaesencia	pentatlón	cuádruples	cuadrángulo
cuadrúpedo	pentatleta	quintaesenciar	tetrápodo	decasílabo
	pentámetro	decatlón	cuadrienal	pentarquía

Grupo 8: Prefijos cuadr-, tetra-, quint-, pent-, dec-　　(29)

cuadr-	tetra-
cuádruple	**tetracordio**

quint-	pent-	dec-
quíntuple	**pentágono**	**decimal**

1. Elige cuatro prefijos (cuadr-, tetra-, quint-, pent- o dec-) y escribe uno en cada caja con su definición.
2. Escribe una oración usando una palabra que contenga el prefijo.
3. Haz un dibujo para ilustrar el significado de cada prefijo.

Prefijo: _____

Definición: _____

Oración: _____

Prefijo: _____

Definición: _____

Oración: _____

Prefijo: _____

Definición: _____

Oración: _____

Prefijo: _____

Definición: _____

Oración: _____

Grupo 8: Prefijos cuadr-, tetra-, quint-, pent-, dec-

aspecto	soportar	portable
perspectiva	deportar	especular
importar	espectador	transportar
reportar	prospecto	portafolio
inspector	reporte	espectáculo
espectacular	espectro	oportunidad

spec	port
respecto	**exportar**

1. Lee la raíz de la palabra en el centro de cada red y escribe debajo su significado.
2. Completa los óvalos alrededor con palabras que contengan esa raíz.
3. Escribe el significado debajo de cada palabra.

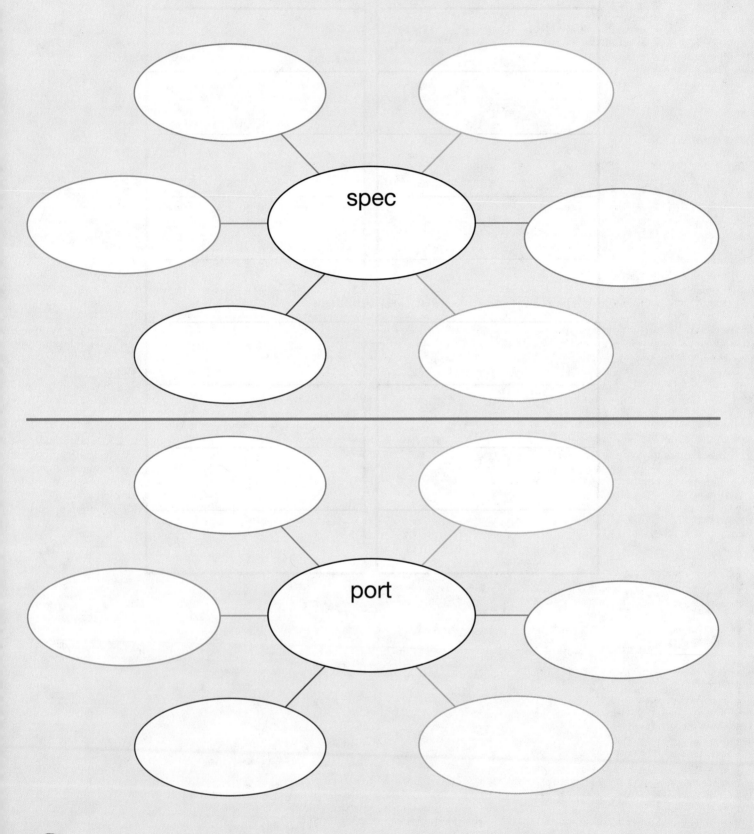

Grupo 9: Raíces spec, port

audible	contradice	auditorio
dictadura	auditivo	veredicto
audiencia	audiocasete	diccionario
predice	dictar	dictador
auditoría		audivisual

dic	aud
dictado	**audio**

1. Escribe el significado de cada raíz en la línea donde aparece cada raíz.
2. Lee cada palabra y encierra en un círculo la raíz o raíces que contenga.
3. Escribe una definición para cada palabra.

dic/dict: _____   **aud:** _____

1. dictado _____

2. veredicto _____

3. auditivo _____

4. predice _____

5. audiencia _____

6. dictador _____

7. audiocasete _____

8. contradice _____

9. auditorio _____

10. dictadura _____

11. audible _____

12. diccionario _____

13. audición _____

14. auditoría _____

15. dictar _____

abstracto	retractable	remoto
eruptivo	contractual	ruptura
motocicleta	motriz	motivador
abrupto	extracto	atractivo
tractor	exabrupto	interruptor
motor	corrupto	motivar

rupt	tract	mot
corrupto	**atractiva**	**motivación**

1. Escribe el significado de cada raíz.
2. Escribe una palabra que contenga la raíz. Luego escribe una definición para esa palabra.
3. Haz un dibujo para ilustrar la palabra.

rupt: _____

Palabra: _____

Definición: _____

tract: _____

Palabra: _____

Definición: _____

mot: _____

Palabra: _____

Definición: _____

Grupo 11: Raíces rupt, tract, mot

aerodinámico	aeropuerto	filosofía
producto	aerosol	hidrófilo
conductividad	filantropía	aerotransportar
aerofotografía	aeronáutico	hispanófilo
reductor	salvoconducto	filarmónica
filología	conducto	acueducto
introductivo	aeroplano	filosofar

aero	duc	filo
aeróbico	**ducto**	**filósofo**

1. Escribe el significado de cada raíz.
2. Escribe una palabra que contenga la raíz. Luego escribe una definición para esa palabra.
3. Haz un dibujo para ilustrar la palabra.

aero: _____

Palabra: _____

Definición: _____

duc: _____

Palabra: _____

Definición: _____

filo: _____

Palabra: _____

Definición: _____

proyector	credibilidad	proyectil
manejar	interjección	manual
proyecto	mantener	manufactura
acreditar	manifiesto	crédito
inyección	ejecutar	manifestar
emancipar	credencial	adjetivo

jec/jet/yec	man	cred
inyectable	**mano**	**credo**

1. Lee cada oración.
2. Elige la palabra de la caja que mejor complete la oración y escríbela en la línea. (Nota: Todas las palabras tienen que ser usadas y cada palabra puede ser usada solamente una vez.)
3. Encierra en un círculo la raíz de la palabra.

proyector	manejar	mantener	emancipar
credibilidad	interjección	inyección	credencial
proyectil	manual	ejecutar	objeto

1. Ana puso varias láminas transparentes en el _____ del salón de clases.

2. Esa materia no es el _____ de nuestro estudio.

3. El profesor tenía la _____ correcta para entrar al evento.

4. Como siempre dice la verdad, tiene una _____ bien ganada.

5. Su causa consistía en _____ a su pueblo de la tiranía.

6. Lo importante es _____ las ideas que tengas sobre un tema.

7. El _____ salió disparado del cañón hacia el blanco.

8. Carlos se subió al camión y tuvo que _____ largas horas por la carretera.

9. ¡Ay, el estudiante usó mal esa _____ en la oración!

10. Lucía tuvo que consultar el _____ del auto para entender el problema.

11. En cuanto la enfermera le puso la _____, Tina se sintió mejor.

12. Por favor, tenemos que _____ la calma en momentos difíciles.

inscribir	revisar	escribir
improvisar	televisión	visionario
descripción	vista	transcribir
supervisar	video	escribano
prescripción	escritorio	inscribir
visible	visitar	escritura
escritora	subscribir	televidente

vid/vis	scrib/scrip/scrit
visión	**describir**

1. Lee cada oración.
2. Elige la palabra entre paréntesis que mejor complete la oración y escríbela en la línea.
3. Encierra en un círculo la raíz de la palabra.

1. Luis se quería _____ en una nueva escuela. (suscribir/inscribir)

2. Te voy a _____ la próxima semana para ver si todo está bien. (visible/visitar)

3. Elena fue a buscar su _____ a la farmacia. (prescripción/descripción)

4. Tienes que _____ bien de cerca a los niños pequeños. (supervisar/televisar)

5. Voy a _____ la escritura de la cueva para poder estudiarla más tarde. (inscribir/transcribir)

6. La _____ terminó de escribir su tercera novela. (escritura/escritora)

7. Diego hizo una bella pintura de una _____ del lago. (vista/video)

8. Aquel científico fue un gran _____ que pasó largas horas soñando con desarrollar nuevas ideas. (visible/visionario)

9. ¿Te quieres _____ a alguna revista de moda? (escribir/suscribir)

10. La _____ de Lina estaba conectada a su equipo de música y de vídeo. (televisión/vista)

11. Aquel programa de televisión quiso premiar al _____ que había grabado todos sus programas. (televidente/visionario)

12. Los escritores y editores trabajaron para _____ la película antes de su estreno. (revisar/televisar)

Grupo 14: Raíces vid/vis, scrib/scrip/scrit

Raíces jud/jus/juz, leg, flu

legislador	legítimo	justiciero	fluir
influir	justificar	legislar	ilegal
justificado	fluctuar	influencia	justicia
privilegio	juzgar	judicial	afluente
influenza	fluidez	legalidad	legalizar

jud/jus/juz	leg	flu
justo	**legal**	**fluido**

1. Escribe el significado de cada raíz.
2. Lee cada palabra y encierra en un círculo la raíz que contenga cada una.
3. Elige cinco palabras y escribe una oración donde uses cada una de esas palabras en contexto.
4. Subraya la palabra elegida en cada oración.

jud/jus/juz: _____ **leg:** _____ **flu:** _____

1. legislar   **5.** influencia   **9.** justo

2. fluctuación   **6.** justificar   **10.** legítimo

3. ilegal   **7.** influenza   **11.** fluido

4. judicial   **8.** legalidad   **12.** legislador

Oraciones:

1. _____

_____

2. _____

_____

3. _____

_____

4. _____

_____

5. _____

_____

Elementos -crata, -cracia, -arca, -arquía

tecnócrata	oligarquía	demócrata	democracia
heresiarca	plutócrata	matriarca	oligarquía
jerarca	jerarquía	patriarcado	aristocracia
anarquía	matriarcado	burócrata	burocracia
patriarca	plutocracia	tecnocracia	aristócrata

Grupo 16: Elementos -crata, -cracia, -arca, -arquía (61)

Copyright © Pearson Education, Inc., or its affiliates. All Rights Reserved.

Elementos -crata, -cracia, -arca, -arquía

-crata							
autócrata							

-cracia							
autocracia							

-arca							
monarca							

-arquía							
monarquía							

Grupo 16: Elementos -crata, -cracia, -arca, -arquía (63)

1. Elige dos elementos (-crata, -cracia, -arca o -arquía) y escribe uno en el centro de cada red. Escribe el significado debajo de cada elemento.
2. Completa los óvalos con palabras que contengan ese elemento.
3. Escribe el significado debajo de cada palabra.

Grupo 16: Elementos -crata, -cracia, -arca, -arquía

Raíces spir, sist, sign

inspirar	resignarse	conspirar
transpirar	insistir	asistir
insistente	asignación	significar
inspirado	aspiración	insignia
asignar	consistente	persistir
designar	resistencia	consigna

spir	sist	sign
respirar	**resistir**	**signo**

1. Lee cada una de las palabras en la caja.

2. Lee cada oración y la raíz de la palabra entre paréntesis.

3. Completa cada oración escribiendo la palabra apropiada de la caja que contenga la raíz que aparece entre paréntesis. No se deben usar las palabras más que una vez y se usarán todas las palabras en la caja.

4. Encierra en un círculo la raíz de la palabra en la palabra que escribiste.

resistir	insistir	insistente	inspirado	asignar
conspirar	asistir	asignación	respirar	consistente
transpirar	resignarse	aspiración	insignia	resistencia

1. El constructor cumplirá con la _____ que le dieron para hacer el edificio. (sign)

2. Su mayor _____ era convertirse en astronauta. (spir)

3. El anciano tuvo que _____ a su nueva vida. (sign)

4. ¿Puedes _____ cuando estás sumergido en el agua? (spir)

5. Nosotros nos reunimos para _____ un buen plan y sorprender a la maestra. (spir)

6. La maestra te va a _____ una nueva tarea. (sign)

7. Voy a _____ que vengas con nosotros a la cena. (sist)

8. Puede que la naturaleza te haya _____ a escribir un hermoso poema. (spir)

9. Después de hacer tantos ejercicios en el gimnasio, el deportista comenzó a _____. (spir)

10. El pastel lucía tan delicioso que no pudimos _____ y lo probamos. (sist)

11. Ya te dije que no lo haría, no seas tan _____ (sist)

12. Mi amiga no quería _____ a la fiesta porque no tenía un lindo vestido. (sist)

13. No puedes decir una cosa y hacer otra, tienes que ser _____ con tu pensamiento. (sist)

14. Corrió nueve millas porque era una carrera de _____. (sist)

15. La _____ de nuestra escuela es que seamos cada día mejores estudiantes. (sign)

corpulento	pedalear	ortopedia
pedal	capitán	captiva
pedestal	cuerpo	capítulo
capitanear	pie	pedicura
corpóreo	capitanía	capital
	expedición	incorporarse

cap	ped	corp
captar	**pedidor**	**corporación**

1. Escribe el significado de cada raíz.
2. Lee cada par de palabras y encierra en un círculo la raíz que contenga cada una.
3. Elige cinco pares de palabras y escribe una oración donde uses cada par de palabras en contexto. Por ejemplo: *Puse los pies en los pedales y comencé a pedalear mi bicicleta.* (pedales/pedalear)

---

cap: _____   **ped:** _____   **corp:** _____

Pares de palabras

1. pedales/pedalear

2. corporativo/corporación

3. capital/capitolio

4. pedicura/ortopedia

5. capitán/capitanear

6. cuerpo/corpóreo

7. pie/expedición

8. incorporarse/corporación

Oraciones:

1. _____

_____

2. _____

_____

3. _____

_____

4. _____

_____

5. _____

_____

---

divertirse	convertir	informe
sector	transecto	revertir
formato	intersectar	invertir
informar	advertir	formal
insecto	formulario	reformar
conformarse	uniforme	reversa
universo	sectario	desinsectar

sect	vert/vers	form
secta	**versión**	**formular**

1. Lee cada oración.
2. Elige la palabra de la caja que mejor complete la oración y escríbela en la línea. (Nota: No se tienen que usar todas las palabras, y se debe usar cada palabra solamente una vez.)
3. Encierra en un círculo la raíz que contenga cada palabra.

divertirse	uniforme	insecto	sector	informar	formulario
universo	formato	convertir	revertir	conformarse	reformar

1. Tenemos que _____ algunas leyes para mejorarlas.

2. Ana tuvo que completar un _____ para entrar a una nueva escuela.

3. Ese _____ del estado quedó afectado tras el paso del huracán.

4. A los niños del barrio les encanta jugar y _____ en el parque.

5. El sistema solar forma parte del _____.

6. Alina se puso un _____ para jugar en el partido de voleibol de su escuela.

7. Tenemos que _____ un líquido como agua en sólido como hielo, ¿sabes cómo?

8. Se pudo _____ el proceso que causó el error para comenzar de cero nuevamente.

9. El director nos debe _____ acerca del nuevo reglamento escolar.

10. Nadie tiene que cambiar o _____ con las cosas con las cuales no está de acuerdo.

11. El mosquito es un _____ muy dañino.

12. El proyecto de clase se debe presentar en un determinado _____ para que sigan los mismos pasos al completarlo.

Grupo 19: Raíces sect, vert/vers, form

antónimo	génesis
progenitor	anónimo
patronímico	genérico
género	seudónimo
genes	oxígeno
epónimo	genético
regenerar	acrónimo
homónimo	hidrógeno

ónimo	gen
sinónimo	**generador**

1. Escribe en cada caja una palabra que contenga la raíz ónimo o gen.
2. Escribe una oración y haz un dibujo para ilustrar el significado de cada palabra.

Palabra: _____

Oración: _____

Palabra: _____

Oración: _____

Palabra: _____

Oración: _____

Palabra: _____

Oración: _____

Grupo 20: Raíces ónimo, gen

Raíces **voc, ling/leng, mem, psi**

invocar	memoríndum	provocativo	bilingüe
psicólogo	invocación	conmemorativo	vocálico
inmemorial	lengua	psiquiatría	remembranza
psicopático	provocación	vocalista	vocabulario
provocar	memorial	lingüístico	multilingüe

Raíces voc, ling/leng, mem, psi

psi								
psicología								

mem								
memoria								

ling/leng								
lingüista								

voc								
vocal								

Grupo 21: Raíces voc, ling/leng, mem, psi (83)

1. Escribe el significado de cada raíz.
2. Lee cada palabra y encierra en un círculo la raíz que contenga cada una.
3. Elige cinco palabras y escribe una oración donde uses cada una de esas palabras en contexto.
4. Subraya la palabra elegida en cada oración.

voc: _____   ling: _____   mem: _____   psi: _____

1. provocación
2. bilingüe
3. conmemorativo
4. psiquiatría

5. memorial
6. lingüístico
7. vocalista
8. vocabulario

9. provocativo
10. remembranza
11. memorándum
12. psicólogo

Oraciones:

1. _____

_____

2. _____

_____

3. _____

_____

4. _____

_____

5. _____

_____

métrico	grafito	termómetro
hemiciclo	hemistiquio	coreógrafo
metropolitano	ortografía	metrópoli
hemisférico	cronómetro	autógrafo
fotografía	hemicránea	biografía

metr	graf	hemi
metro	**gráfica**	**hemisferio**

1. Lee cada oración.

2. Elige la palabra de la caja que mejor complete la oración y escríbela en la línea. (Nota: Se tienen que usar todas las palabras, y se debe usar cada palabra solamente una vez.)

3. Encierra en un círculo la raíz que contenga cada palabra.

métrico	**biografía**	**metro**	**hemicránea**
metrópoli	**hemisferio**	**grafito**	**termómetro**
ortografía	**cronómetro**	**gráfica**	**metropolitana**

1. Mi país queda en el _____ norte, ¿y el tuyo?

2. Yo reviso mis trabajos y verifico mi _____.

3. En España se usa el sistema _____ para medir la distancia.

4. Mi amigo Luis vive en un barrio en el _____ de Boston.

5. Usó un pequeño _____ para medir la temperatura de su cuerpo.

6. La novela _____ combina texto con ilustraciones.

7. En su _____, se dice que la escritora publicó su primera obra en 1925.

8. Mi pupitre está a un _____ del putitre de Ana María.

9. Para hacer la tarea de matemáticas, se recomienda escribir en _____.

10. Tenía un gran dolor de cabeza, conocido como _____ o jaqueca.

11. Washington, Nueva York y Boston forman una gran zona _____.

12. Usamos un _____ para medir el tiempo.

sargento	geométrica	gentilmente
geográfico	girómetro	giroscopio
giratorio	geógrafo	gentilhombre
gentileza	agente	girasol
urgente	giralda	geología

gent	geo	gir
gente	**geografía**	**girador**

1. Escribe el significado de cada raíz.
2. Lee cada palabra y encierra en un círculo la raíz que contenga.
3. Elige cinco palabras y escribe una oración donde uses las palabras en contexto.
4. Subraya la palabra elegida en cada oración.

gent: _____ **geo:** _____ **gir:** _____

1. agente   **5.** sargento   **9.** geógrafo

2. giratorio   **6.** geografía   **10.** girador

3. gentileza   **7.** gente   **11.** gentilmente

4. girasol   **8.** geométrica   **12.** geología

Oraciones:

1. _____

_____

2. _____

_____

3. _____

_____

4. _____

_____

5. _____

_____

herbario	hexángulo	herbicida
hélice	heliografía	heliográfico
herbazal	herbaje	herbero
heliocéntrico	hexasílabo	hexápodo
hexagonal	helioscopio	herbáceo

herb	hex	heli
herbívoro	**hexágono**	**helicóptero**

1. Elige dos raíces de palabras (herb, hex o heli) y escribe uno en el centro de cada red. Escribe el significado debajo de cada raíz.
2. Completa los óvalos con palabras que contengan esa raíz.
3. Escribe el significado debajo de cada palabra.

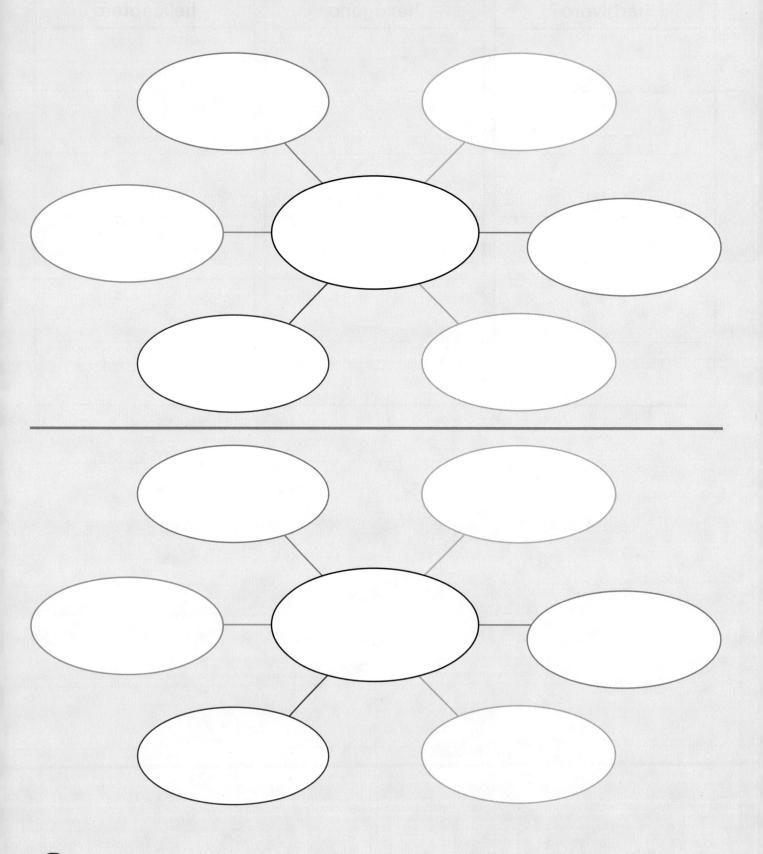

Grupo 24: Raíces herb, hex, heli

hidratación	hipersensible	hidrógeno
hipocresía	hipoteca	hipótesis
hipertenso	hipercrítico	hidroeléctrica
hidratar	hidráulico	hiperactivo
hipercrisis	hipotético	hipotálamo

hidr	hiper	hipo
hidratado	**hipertensión**	**hipódromo**

1. Escribe el significado de cada raíz.
2. Lee cada palabra y encierra en un círculo la raíz que contenga.
3. Elige cinco palabras y escribe una oración donde uses las palabras en contexto.
4. Subraya la palabra elegida en cada oración.

hidr: _____ **hiper:** _____ **hipo:** _____

1. hidratado

2. hidratación

3. hipocresía

4. hidratar

5. hiperactivo

6. hipertensión

7. hipersensible

8. hipoteca

9. hipercrítico

10. hidráulico

11. hipótesis

12. hipertenso

Oraciones:

1. _____

_____

2. _____

_____

3. _____

_____

4. _____

_____

5. _____

_____

juramento	jubiloso	jurista
juvenil	jovencito	joven
jurar	jubilación	jurídico
rejuvenecer	jurisprudencia	jubilosamente
jubilado	perjurar	jubileo

jur	jubil	juven
jurado	**júbilo**	**juventud**

1. Lee cada oración.
2. Elige la palabra que mejor completa la oración del par que aparece entre paréntesis, y escríbela en la línea
3. Encierra en un círculo la raíz en la palabra que escribiste.

1. El estudiante leyó el _____ de la escuela en un acto público. (jurista/juramento)

2. Cometió errores debido a su _____, pero ha aprendido mucho desde entonces. (juvenil/juventud)

3. Se sentía _____ y feliz por haber ganado la competencia. (jubileo/jubiloso)

4. El _____ deliberó un rato y luego dictó sentencia. (juramento/jurado)

5. Aunque ya estaba _____, Juan continuó trabajando como voluntario. (jubilado/jubiloso)

6. Es verdad todo lo que he dicho, lo puedo _____. (jurado/jurar)

7. Puedes encontrar ese libro en el departamento _____ de la biblioteca pública. (juventud/juvenil)

8. Es la época del _____ y todos han salido a la calle a celebrar. (jubileo/jubilosamente)

9. La _____ abogó en defensa de los más pobres. (jurisprudencia/jurista)

10. La niña cantó alegre y _____. (jubiloso/jubilosamente)

11. Como era un tema _____, tenía que resolverse en las cortes del país. (juramento/jurídico)

12. El antónimo de envejecer es _____. (rejuvenecer/juvenal)

intravenoso	intraocular	intergaláctico
internacional	introversión	intracelular
introspección	introducir	introducción
intramuscular	interpersonal	interceptar
interrogatorio	intercambio	introductor
intradérmico	intromisión	interbancario

intra- **intramuros**	inter- **interacción**	intro- **introvertido**

1. Escribe qué significa cada prefijo.
2. Escribe una palabra que contenga el prefijo y su significado.
3. Haz un dibujo para ilustrar el significado de la palabra.

intra-: _____

Palabra: _____

Definición: _____

inter-: _____

Palabra: _____

Definición: _____

intro-: _____

Palabra: _____

Definición: _____

Sufijos -ente, -encia, -ante, -ancia

fragante	fragancia	abundante	dependiente
residente	residencia	obediencia	diferente
excelencia	abundancia	constante	constancia
obediente	paciente	diferencia	dependencia
paciencia	excelente	prominencia	prominente

Grupo 28: Sufijos -ente, -encia, -ante, -ancia

(109)

Sufijos -ente, -encia, -ante, -ancia

-ancia
arrogancia

-ante
arrogante

-encia
confidencia

-ente
confidente

Grupo 28: Sufijos -ente, -encia, -ante, -ancia

(111)

1. Escribe qué significa cada sufijo.
2. Escribe una palabra que contenga el sufijo y su significado.
3. Haz un dibujo para ilustrar el significado de la palabra.

-ente: _____

Palabra: _____

Definición: _____

-encia-: _____

Palabra: _____

Definición: _____

-ante: _____

Palabra: _____

Definición: _____

-ancia: _____

Palabra: _____

Definición: _____

Grupo 28: Sufijos -ente, -encia, -ante, -ancia

Sufijos -able, -ible

predecible	agradable	amable	visible
oxidable	presentable	terrible	notable
audible	comestible	descifrable	adaptable
posible	rentable	factible	confiable
compatible	tangible	horrible	legible
potable	favorable	estimable	preferible

base + **-able**	base + **-ible**
amigable	**sensible**

1. Lee el sufijo en el centro de cada red y escribe debajo su significado.
2. Completa los óvalos alrededor con palabras que terminen con ese sufijo.
3. Escribe debajo el significado de cada palabra.

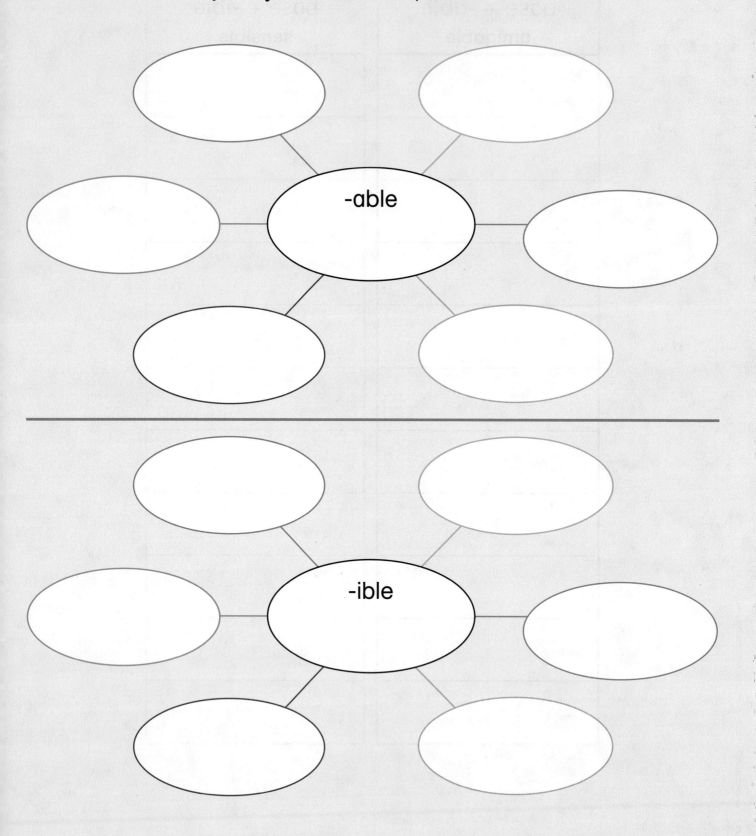

-able

-ible

Grupo 29: Sufijos -able, -ible

inactivo	imborrable	ilimitado
irresponsable	ilícito	impertinente
iletrado	irracional	incapaz
inmaduro	ilógico	irresponsable
injusticia	impensable	ilegítimo
irregular	inexacto	irresistible
inseguro	imperfecto	imperdonable

Prefijos asimilados in-, im-, il-, ir-

ir- irreparable	il- ilegal	im- impedir	in- incorrecto/a

Grupo 30: Prefijos asimilados in-, im-, il-, ir-   (119)

1. Forma nuevas palabras añadiendo los prefijos asimilados de in- (in-, im-, il- o ir-) a las siguientes palabras. Escribe las nuevas palabras en las líneas.

lógico _____	activo _____
exacto _____	regular _____
perfecto _____	seguro _____
limitado _____	eludible _____
pertinente _____	racional _____
capaz _____	legal _____
responsable _____	letrado _____
legítimo _____	maduro _____
resistible _____	justicia _____

2. Elige un par de palabras, y haz un dibujo para ilustrar el significado de la palabra original y luego de la palabra con el prefijo.

Palabra Original: _____

Prefijo +
Palabra Original: _____

Afijos in- + base + -able, in- + base + -ible

invencible	intolerable	incontrolable	inconfundible
inconquistable	increíble	incontenible	insustituible
incansable	intachable	indefinible	indeformable
infatigable	inconsolable	inaceptable	indefendible
inconcebible	incontable	indiscutible	indemostrable
incomprensible	indescriptible	insoportable	incorregible

Grupo 31: Afijos in- + base + -able, in- + base + -ible   (121)

in- + base + **-able**	**in-** + base + **-ible**
inhospitable	incompatible

1. Lee el prefijo y sufijo en el centro de cada red.
2. Completa los óvalos alrededor con palabras que comiencen con ese prefijo y terminen con ese sufijo.
3. Escribe debajo el significado de cada palabra.

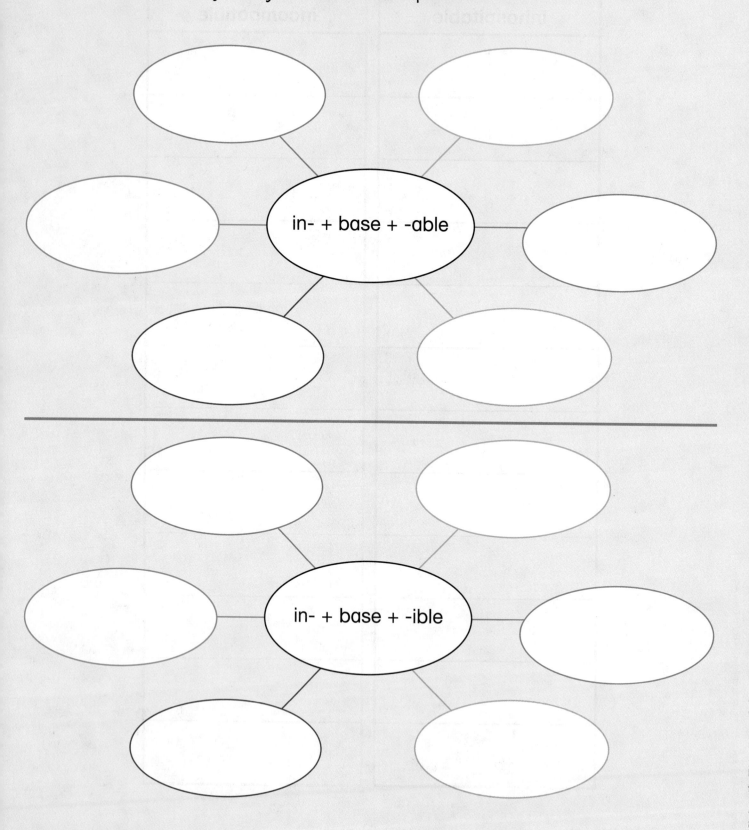

in- + base + -able

in- + base + -ible

Grupo 31: Afijos in- + base + -able, in- + base + -ible

Prefijos asimilados com-, co-, con-

combinar	colocar	concierto	combinación
colisión	concepción	competir	cotejar
congreso	competencia	colaborar	congestión
comité	compañía	colectar	concluir
colapso	colega	compasión	compañero
colateral	congregación	conferencia	constelación

Grupo 32: Prefijos asimilados com-, co-, con-   125

com- **común**	co- **colección**	con- **conspirar**

1. Escribe el prefijo com- en el centro de la red.

2. Completa los óvalos que lo rodean con palabras que contengan ese prefijo.

3. Piensa de cómo cada palabra se relaciona con "reunirse, juntarse" y escribe debajo de cada palabra su significado.

4. Elige cuatro palabras y escribe una oración donde uses las palabras encontexto. Subraya el prefijo com-, co-, o con- en cada oración.

Oraciones:

1. _____

_____

2. _____

_____

3. _____

_____

4. _____

_____

Grupo 32: Prefijos asimilados com-, co-, con-

extraer	expuesto	exclusivo
adjunto	adhesivo	obstáculo
obstinado	objetivo	adherirse
adjetivo	exhalar	extremo
exportar	advertencia	adjudicación

obligación
obscuro
adquirir
obstruir
extracto

ad-										
advertir										

ex-										
excluir										

ob-										
objeto										

1. Escribe la definición de cada prefijo.
2. Escribe una palabra que contenga ese prefijo y su significado.
3. Haz un dibujo para ilustrar la palabra que definiste.

ob-: _____

Palabra: _____

Definición: _____

ex-: _____

Palabra: _____

Definición: _____

ad-: _____

Palabra: _____

Definición: _____

Grupo 33: Prefijos ob-, ex-, ad-

 1. Lee las definiciones de las palabras. Encierra en un círculo la palabra entre paréntesis que se relaciona con la definición.

1. Es un grado o etapa anterior al primer grado escolar (preescolar/postescolar)

2. Período posterior o que viene después de una guerra. (pretemporada/posguerra)

3. Una opinión o actitud que uno tiene en contra de algo que no conoce bien. (prejuicio/presentimiento)

4. Elemento que precede o va antes de la base de una palabra para agregarle un determinado significado (sufijo/prefijo)

 2. Lee las oraciones y las palabras entre paréntesis. Elige la palabra que mejor completa la oración y subráyala. Luego escríbela en la línea.

1. Siento una gran _____ por saber qué ocurre en el fondo del mar. (seguridad/curiosidad)

2. La maestra es muy agradable y se expresa con gran _____. (simpatía/cobardía)

3. Le gusta la aventura y saber más del mundo a su alrededor porque es un notable _____. (conmovedor/explorador)

4. El carro arrancó rápido y salió a mucha _____. (velocidad/humanidad)

3. Lee las siguientes palabras. Forma una nueva palabra con el sufijo que se indica. Escríbela en la línea junto a la palabra original.

1. corregir (-ión) _____

2. piano (-ista) _____

3. expresar (-ión) _____

4. pan (-ero) _____

5. ciencias (-ico) _____

6. leña (-or) _____

7. informar (-ión) _____

1. Lee las definiciones y las palabras entre paréntesis.
2. Encierra en un círculo la palabra que se corresponde con ese significado.
3. Escribe la palabra en la línea.

1. **un solo** partido (bipartido/monopartido): _____

2. que tiene **dos** ruedas (triciclo/bicicleta): _____

3. que tiene **tres** ángulos (rectángulo/triángulo): _____

4. acción **entre** dos (interactuar/sobreactuar): _____

5. competencia de **diez** disciplinas atléticas (decatlón/pentatlón):

   _____

6. ofrecer una alimentación **menor o por debajo** de la normal

   (subalimentar/sobrealimentar): _____

7. **entre** dos culturas (intercultural/subcultural): _____

8. conjunto de **cuatro** obras (trilogía/tetralogía): _____

9. **cinco** hijos en un solo parto (trillizos/quíntuples): _____

10. **tres** hijos en un solo parto (trillizos/quíntuples): _____

11. que tiene **cuatro** ángulos (cuadrángulo/triángulo): _____

12. formato de **cinco** líneas para escribir música (pentagrama/diagrama):

    _____

13. que anda en **cuatro** patas (bípedo/cuadrúpedo): _____

14. estimar **por encima** o mucho más de lo normal (subestimar/sobrestimar):

    _____

15. cada **dos** meses (trimestral/bimensual): _____

16. obra de **un solo** personaje que habla consigo mismo (monólogo/diálogo):

    _____

1. Lee las oraciones y las palabras entre paréntesis.
2. Subraya la palabra que mejor completa la oración.
3. Escribe la palabra en la línea.

1. No puedo _____ tu actitud arrogante. (deportar/soportar)

2. El _____ verificó que el restaurante mantuviera una buena higiene. (aspecto/inspector)

3. La _____ escuchó con atención y luego aplaudió. (audiencia/dictadura)

4. Puedes encontrar el significado de las palabras en el _____. (dictador/diccionario)

5. El volcán hizo _____ pero todos estaban prevenidos. (erupción/corrupto)

6. ¡Qué _____ luces con ese traje tan elegante! (abstracto/atractivo)

7. El presidente dio un discurso _____. (motriz/motivador)

8. El avión despegó del _____ de Nueva York. (aeropuerto/aerodinámico)

9. El agua logró pasar por un _____ estrecho. (reductor/conducto)

10. Él estudia todo lo relacionado con el idioma español porque es un gran _____. (hidrófilo/hispanófilo)

11. La bailarina pudo _____ una danza magistral. (ejecutar/acreditar)

12. No puedo _____ mi camioneta porque le falla el freno. (manifestar/manejar)

13. El banco me dio un _____ y así pude costear un proyecto. (crédito/manifiesto)

14. ¿Puedes _____ mi redacción y darme tu opinión? (inscribir/revisar)

15. La _____ terminó de escribir una novela de aventuras para niños. (escritora/escritura)

16. En el proceso _____, el abogado defendió a su cliente. (afluente/judicial)

17. El _____ puso a consideración de todos unas propuestas de leyes. (legislador/fluido)

18. El liderazgo de Ana tiene una _____ positiva en sus compañeros. (influenza/influencia)

19. En una _____ todos pueden participar en el gobierno y votar. (oligarquía/democracia)

20. El _____ quería seguir viviendo en su palacio. (matriarca/aristócrata)

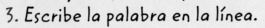

1. Lee las oraciones y las palabras entre paréntesis.
2. Subraya la palabra que mejor completa la oración.
3. Escribe la palabra en la línea.

Verificar

4

1. El buen trabajo del maestro logró _____ a sus estudiantes. (transpirar/inspirar)

2. Voy a _____ en que vengas a mi fiesta. (insistir/transpirar)

3. En la liga Americana de béisbol, el lanzador no batea, los equipos tienen que _____ un bateador que toma su puesto para batear. (conspirar/designar)

4. El _____ del barco dio la orden para entrar al puerto. (pedestal/capitán)

5. Tuve que _____ mucho mi bicicleta para subir la loma. (capitanear/pedalear)

6. Ellos quieren _____ a la banda de música. (incorporarse/cuerpo)

7. La abeja es un _____ beneficioso. (sector/insecto)

8. A los niños les gusta _____ al aire libre. (advertir/divertirse)

9. El _____ para presentar el proyecto debe ser en un cartel. (sector/formato)

10. El _____ de claro es oscuro. (genético/antónimo)

11. La obra pertenece al _____ de ficción. (génesis/género)

12. Carlos se expresa con un amplio _____. (provocativo/vocabulario)

13. Ser _____ es ventajoso porque puedes comunicarte en dos idiomas. (memorial/bilingüe)

14. Ana tiene muy buena _____. (inmemorial/memoria)

15. El padre de Javier trabaja como psicólogo porque estudió _____ (psiquiatría/psicología)

16. Como tenía fiebre, me puse un _____. (cronómetro/termómetro)

17. Diego tiene dificultad con la _____ y por eso debe revisar bien sus trabajos. (ortografía/biografía)

18. Estados Unidos queda en el _____ norte. (grafito/hemisferio)

19. Olga pagó la _____ de su casa. (hipoteca/hipótesis)

20. El fotógrafo pudo tomar algunas imágenes desde el aire en un _____. (helicóptero/hipotético)

21. Pedro trabajó mucho pero ya estaba _____. (juventud/jubilado)

22. Esa figura geométrica tiene forma _____. (hexagonal/herbazal)

1. Lee las definiciones y el par de palabras entre paréntesis.
2. Encierra en un círculo la palabra que corresponde con la definición.

1. (intramuscular, internacional) Que está o se pone dentro de un músculo

2. (introducir, intraocular) Entrar a un lugar, ir hacia el interior

3. (inactivo, impecable) Sin actividad, pasivo

4. (imperfecto, incapaz) Tiene defectos, no es perfecto

5. (indefinible, indiscutible) Que no se puede discutir

6. (intolerable, incansable) Que no se cansa

7. (congestión, colaborar) Trabajar con otras personas

8. (obstáculo, adhesivo) Algo que presenta dificultad en el camino

9. (advenedizo, subordinado) Dependiente o por debajo de otra persona

10. (adjetivo, expuesto) Que califica a un sustantivo

3. Lee las palabras.
4. Con el sufijo que se indica, escribe al lado una nueva palabra a partir de la palabra original.

1. abundante (-ancia) _____

2. diferente (-encia) _____

3. confiar (-able) _____

4. temer (-ible) _____

5. residir (-ente) _____